論語
孔子

CB041703

CONFÚCIO

As lições do Mestre

Organização e tradução
André Bueno

2ª reimpressão - Março de 2019

Grafia atualizada segundo o Acordo Ortográfico da Língua Portuguesa de 1990, que entrou em vigor no Brasil em 2009

EDITOR E PUBLISHER
Luiz Fernando Emediato

DIRETORA EDITORIAL
Fernanda Emediato

CAPA
Alan Maia

PROJETO GRÁFICO E DIAGRAMAÇÃO
Megaarte Design

PREPARAÇÃO DE TEXTO
Vinicius Tomazinho

REVISÃO
Leonardo Porto Passos

Dados Internacionais de Catalogação na Publicação (CIP)
(Câmara Brasileira do Livro, SP, Brasil)

Confúcio
As lições do Mestre / Confúcio; tradução e organização André Bueno. – 1. ed. – São Paulo : Jardim dos Livros, 2013.

Título original: Lunyu.
ISBN 978-85-63420-33-6

1. Filosofia chinesa I. Bueno, André. II. Título.

13-01561 CDD-181.112

Índices para catálogo sistemático:
1. Confucionismo : Filosofia 181.112
2. Filosofia confucionista 181.112

EMEDIATO EDITORES LTDA
Rua João Pereira, 81 - Lapa
05074-070 - São Paulo - SP
Telefax: (+ 55 11) 3256-4444
E-mail:
geracaoeditorial@geracaoeditorial.com.br

Impresso no Brasil
Printed in Brazil

Introdução

Confúcio 孔子(551-479 a.C.) é, com certeza, um dos pensadores mais importantes da filosofia mundial. É difícil resumir sua obra e suas teorias numa breve apresentação; porém, algumas informações mais conhecidas nos serão úteis para entender um pouco sobre os escritos que apresentaremos aqui.

A vida de Confúcio se passou durante a dinastia Zhou 周(1027-221 a.C.), num contexto em que a civilização chinesa e suas instituições políticas atravessavam uma séria crise. Minada pela corrupção e pela incompetência administrativa, a sociedade da época se encontrava num momento difícil para sua própria sobrevivência e continuidade. Confúcio percebera isso, assim como muitos outros pensadores contemporâneos dele; tal período acabou sendo conhecido pela História como "Cem Escolas de Pensamento", dado o vasto número de especialistas que surgiram, propondo as mais diversas soluções para administrar os problemas sociais, econômicos e políticos que se desenrolavam.

No entanto, o pensamento de Confúcio se destacou dentre todas essas propostas pelo seu caráter humanístico, extremamente preocupado com a sobrevivência da sociedade e com a dignidade humana. Confúcio não se pretendia um reformador, muito menos algum tipo de pregador religioso (e nada mais errado do que considerá-lo alguma espécie de santo ou de profeta). Em seu entendimento, ele era um educador — ou um filósofo, se preferirmos esse termo —, mas essencialmente um pensador preocupado em resgatar sua civilização da ruína.

Em sua análise, a manutenção da cultura seria o elemento-chave para a continuidade humana. Confúcio percebeu que todo o conjunto de leis, costumes, hábitos e ritos humanos havia sido concebido para garantir sua existência e conceder-lhe um lugar especial na estrutura do cosmo. Esse conjunto de práticas sociais e culturais era o que Confúcio chamava de *Li* 禮 (muitas vezes traduzido também como "rito"), cuja extensão abarcava desde os hábitos de etiqueta e alimentação mais comuns até mesmo os deveres religiosos mais complexos. Confúcio defendia, pois, que a sobrevivência da civilização dependia do exercício correto de uma cultura racional, da prática de uma moral eficaz em inibir o mal e ensejar o altruísmo e a bondade.

Todavia, se a cultura havia sido construída ao longo de milênios para garantir a vida humana, quais seriam as razões, portanto, de ela não conseguir se manter? Por que as pessoas estavam desistindo da prática do correto? O diagnóstico de Confúcio continua surpreendente até os dias de hoje: para ele, a sociedade era incapaz de praticar a moral por não ter sido devidamente educada para este objetivo. Ou seja, a ideia de Confúcio é que a crise da civilização chinesa se dava, essencialmente, pela falta de educação. Sem estudo, as pessoas seriam incapazes de compreender sua cultura e a necessidade dos valores morais. Como consequência disso, as pessoas se lançavam a práticas diversas para sobreviver — muitas delas reprováveis. Confúcio não era contra modificações na cultura ou nas leis; ao contrário: se ficasse racionalmente claro que um antigo costume ou lei deveria ser abolido e que isso beneficiaria a sociedade, o mestre provavelmente o aprovaria. Como ele mesmo disse: "Mestre é quem sabe o antigo e descobre o novo".

A questão, contudo, é que os reinos da antiga China estavam embarcando nos piores tipos de expediente para se manterem no poder: guerra, violência, repressão, abuso de poder, exploração econômica, abandono do povo, entre outras coisas. No antigo pensamento chinês, segundo Confúcio, tudo isso já era considerado deplorável; não havia razão, portanto, para acreditar que o tempo transformara essas coisas em "boas ou necessárias". A sobrevivência da civilização chinesa dependia, portanto, da educação.

Essa educação era representada pelo ideograma *Jiao* 教. Educar-se implicava, na visão confucionista, dois tipos de estudo: *Xue* 學, o estudo das tradições e da cultura, e *Zhi* 知, a experiência de vida. Ambos se complementavam e um não podia ficar sem o outro. Uma pessoa educada, que conhecia a cultura e a moral e que era capaz de praticá-la, se transformava então no

Junzi 君子, o “educado”, modelo de cidadão ideal do confucionismo.

Esse era o *Dao* 道 (ou *Tao*, em outra grafia) de Confúcio. *Dao* pode ser entendido como o método ou o caminho para se atingir a harmonia social e natural, que, à época, se representava pelo ideograma *He*和. A educação, pois, era o *Dao* de Confúcio e visava a uma plena harmonia das relações humanas. Esse conceito era expresso pela palavra *Ren* 仁, o verdadeiro humanismo. Educadas, as pessoas compreenderiam como viver em sociedade, seus papéis, limites, possibilidades, direitos e deveres. O ideal confucionista pressupunha que, numa sociedade assim, as leis seriam poucas, e as intervenções do governo, raras. Sabendo como agir, a existência humana fluiria no mesmo ritmo da natureza, partindo do nível mais elementar — o indivíduo — passando pela família, comunidade, governo até pelo Estado, num todo articulado e regido por mecanismos culturais eficazes.

Para viabilizar seu método, Confúcio selecionou os seis principais livros da antiguidade chinesa com os quais construiria sua proposta educacional:

- *Yijing* 易經, ou "Tratado das Mutações", livro que guardava os antigos conhecimentos sobre as teorias científicas chinesas e servia também como oráculo;
- *Shujing* 書經, ou "Tratado dos Livros", continha as principais passagens históricas das primeiras dinastias;
- *Shijing* 詩經, ou "Tratado das Poesias", uma recolha de poemas e canções tradicionais que apresentavam um quadro do cotidiano dessa civilização;
- *Liji* 禮 記, ou "Recordações Culturais", é uma vasta compilação dos costumes, ritos, hábitos, leis e visões sociológicas da época Zhou;

- *Chunqiu* 春秋, ou "Primaveras e Outonos", é uma crônica histórica escrita pelo próprio Confúcio sobre sua época, apresentando diversas passagens históricas para serem analisadas pelo seu caráter moralizante;
- *Yuejing* 樂經, ou "Tratado da Música"; este último texto foi perdido, e se supõe que contivesse músicas e teorias musicais da China Antiga, fundamentais para a educação, na visão de Confúcio. Uma possível parte deste tratado sobreviveu no *Liji*.

Como podemos observar, a estrutura dos ensinamentos confucionistas visava à construção de uma base amplamente humanística na educação. Confúcio defendia, ainda, o ensino das artes, educação física (artes marciais) e da matemática para ensejar uma formação completa. Todavia, o centro de seu método era o aspecto humano e moral, sem o qual o entendimento da cultura se veria sempre prejudicado pela superficialidade, abrindo portas ao erro e às falhas de uma educação incompleta.

Apesar de ser considerado um brilhante conselheiro e o professor máximo de sua época, Confúcio comeu o pão que o diabo amassou. Governos corruptos gostam de falar de educação, mas desprezam qualquer forma de ensino que privilegie a formação crítica do indivíduo. Ora, Confúcio defendia que as pessoas deviam ser conscientes; que, mesmo sendo obedientes, tinham que saber ponderar entre o que era apropriado ou não; que deviam ser autônomas para fazer as próprias escolhas; e que não deviam, de modo algum, se enfiar em degradações morais e corruptoras. Infelizmente, ele encontrou pouco apoio institucional para consolidar suas políticas educativas e governamentais. Nos breves períodos em que pôde assumir algum cargo público, ele se destacou pela honestidade e humanidade,

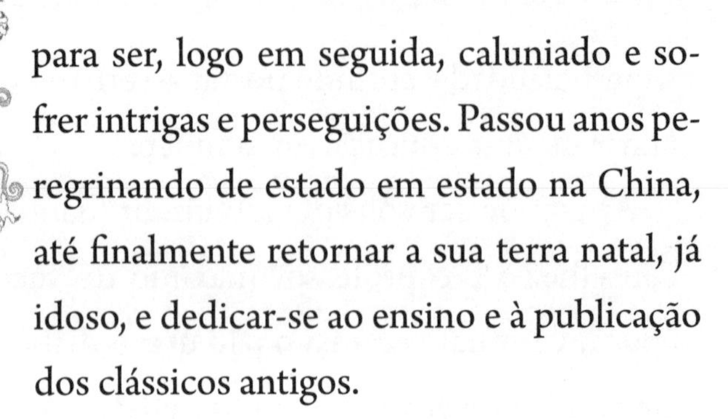

para ser, logo em seguida, caluniado e sofrer intrigas e perseguições. Passou anos peregrinando de estado em estado na China, até finalmente retornar a sua terra natal, já idoso, e dedicar-se ao ensino e à publicação dos clássicos antigos.

O fim de Confúcio foi sossegado e tranquilo. Ele não virou um deus, não fez milagres, mas seu modo de olhar o mundo e sua teoria fundamental sobre o papel da educação na sobrevivência de uma civilização se tornaram pilares da cultura chinesa. A proposta de Confúcio demoraria alguns séculos para se consolidar como doutrina oficial do Estado chinês, durante a dinastia Han 漢(206 a.C. a 221 d.C.), mas, desde então, as obras confucionistas asseguraram uma posição de destaque na China, sendo consideradas as bases para o entendimento da sociedade e da mentalidade chinesa.

As lições do Mestre

先聖圖像

As lições do Mestre constitui uma seleção dos principais trechos do *Lunyu* 論 語, o texto básico da doutrina confucionista. *Lunyu* pode ser traduzido de maneiras diversas: "diálogos", "analectos" ou "lições". A história do livro é comum à de muitos textos filosóficos: após a morte do mestre Confúcio (479 a.C.), seus alunos recolheram alguns fragmentos de suas lições para a posteridade. Os principais personagens do livro são o mestre e seus discípulos, com breves passagens sobre outras figuras da época. Contudo, o livro sofreu diversas intervenções, modificações e acréscimos que tornam difícil saber exatamente o que foi dito por Confúcio. Profusamente comentado, o texto foi ganhando feições arcaizantes ao longo dos séculos, mas nunca se transformou em um "livro sagrado" ou de fundo dogmático; sua estrutura sempre esteve aberta ao debate, marca essencial da *Rujia* 儒家 — a escola confucionista (também conhecida como "escola acadêmica" ou "escola dos letrados"). Por conta disso, resolvi fazer esta recolha de trechos que considero fundamentais do livro, constituindo uma referência para o entendimento do confucionismo nos dias de hoje. Contudo, a organização desta coleção de frases, bem como sua tradução, foi feita dentro de critérios específicos, que precisam ser esclarecidos.

Primeiramente, o chinês clássico não foi traduzido como um português empostado, de feições bíblicas, como comumente se faz. Optei por usar uma transcrição simples, direta, sintética, tal como propunha a língua daquela época. Dizer muito com poucas palavras era o espírito da linguagem dos sábios daquele tempo, e foi o que tentei fazer aqui. Isso implica recriações do texto, que assumo inteiramente como uma opção de escrita.

Outro aspecto relevante é a tradução dos conceitos. *Ren* 仁, por exemplo, é um ideograma simples, mas cuja mensagem é vasta e complexa. *Ren* representa o ideograma "pessoa" e o número dois, ou seja, duas pessoas em harmonia, em convivência plena. Alguns autores preferiram traduzir esse conceito como "benevolência", "altruísmo", mas escolhi vertê-lo como "humanismo". Do mesmo modo, a palavra *Junzi* 君子 designava um cavalheiro ou nobre, que Confúcio transformara numa pessoa educada, de qualidades morais apreciáveis. Já traduzi *Junzi* como "ser moral" em outros textos, mas achei que ainda não tinha ficado bom. Decidi usar a palavra "educado" em seu lugar, pois denota

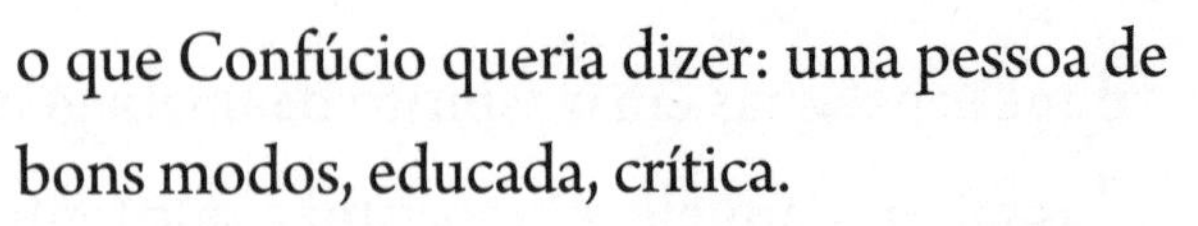

o que Confúcio queria dizer: uma pessoa de bons modos, educada, crítica.

Retirei também a numeração dos fragmentos, deixando-os soltos. Como são curtos e vão direto ao assunto, dispensei a ordenação que lhes foi imposta no formato tradicional.

Por fim, preferi recolher os trechos que têm uma significância perene para o pensamento confucionista e que constituem o cerne do seu *modus operandi*: estudar, evoluir e crescer. Há passagens estranhas, ou contextuais, cuja origem ou forma podem não ter relação direta com os debates do Mestre. Tomei o cuidado, assim, de selecionar aquilo que ainda pode manter o confucionismo como uma teoria atual de interpretação da vida e do mundo.

No mais, agradeço imensamente a oportunidade de publicar esta pequena tradução. O confucionismo é fundamental para entender não apenas a China, mas todo esse outro modo de olhar o mundo que os chineses desenvolveram. Abrindo-nos novas perspectivas — ainda que baseadas num texto escrito há 2.600 anos —, a leitura de *As lições do Mestre* fornece uma profunda experiência de vida e um guia indispensável para nos aconselhar em tempos delicados e confusos como os de hoje.

O Mestre disse: "Aprender algo e pôr em prática não é bom? Receber amigos de longe não é um prazer? Não ser vaidoso com os próprios méritos, isso não é a marca do educado?"

O Mestre disse: "Fala bonita e trejeitos calculados não são sinais de bondade".

Mestre Zeng disse: "Examino-me três vezes por dia. Sou leal para com os outros? Sou sincero com meus amigos? Pratiquei o que aprendi?"

O Mestre disse: “Para governar um Estado, seja digno e honesto nos negócios, seja moderado nos gastos, ame a todos e só convoque o povo se for necessário”.

Zixia disse: “Se alguém valoriza mais a virtude do que a aparência, cuida bem dos seus pais, se devota ao governante, é leal com os amigos; falem o que falar, mas ele é um educado”.

O Mestre disse: “Um educado que não é sério não é educado. Ele não tem nem autoridade nem estudo. Um educado é sempre leal e fiel e não se junta com quem não é correto. Quando erra, se conserta”.

O Mestre disse: "O educado come sem exagero, mora em lugar simples, dedica-se ao trabalho, fala com cuidado e busca boas companhias. Uma pessoa assim gosta mesmo de aprender".

O Mestre disse: "O problema não é ser desconhecido; é não reconhecer os outros".

O Mestre disse: "Quem governa pela virtude é como a ursa-polar: mesmo parada, as outras estrelas giram ao seu redor".

O Mestre disse: "O 'Tratado das Poesias' se resume numa única frase: 'não pense no mal'".

O Mestre disse: "O povo fica desonesto e manhoso se é governado por artimanhas e castigos. O povo fica envergonhado e dedicado quando é governado pela virtude e pelos costumes".

O Mestre disse: "Aos quinze, eu queria aprender; aos trinta, firmei caráter; aos quarenta, estava esclarecido; aos cinquenta, entendi o Céu; aos sessenta, percebia o sutil; aos setenta, sigo meu coração tranquilamente, sem errar".

Ziyou perguntou sobre a fraternidade familiar. O Mestre disse: "As pessoas acham que os filhos são bons porque sustentam os pais. Isso é obrigação, não bondade. O mesmo se faz com cachorros e cavalos. Sem respeito, qual é a diferença?"

Zixi perguntou sobre a fraternidade familiar. O Mestre disse: "É a atitude que importa. Ajudar só quando se precisa e servir quando se tem de tudo, isso é fraternidade familiar?"

O Mestre disse: "Mestre é quem sabe o antigo e descobre o novo".

Zigong perguntou quem é o educado. O Mestre disse: "Aquele que pratica o que fala".

O Mestre disse: "O educado vê o todo, gente pequena vê as partes".

O Mestre disse: "Estudar sem pensar é inútil. Pensar sem estudar é perigoso".

O Mestre disse: "Saber o que se sabe e o que não se sabe: isso é conhecimento".

Zizhang estudava para conseguir um cargo público. O Mestre disse: "Estude tudo o que puder, cuide com o duvidoso, guarde o que aprendeu e dificilmente você errará. Observe com cuidado, afaste-se das fofocas, seja dedicado e não terá de que se arrepender. Sem erros e arrependimentos, sua carreira será bem-sucedida".

O duque Ai perguntou a Confúcio como conquistar o coração do povo. O Mestre disse: "Promova os corretos e se afaste dos errados e você terá o coração do povo. Mas, se promover os errados e afastar os corretos, você perderá o coração do povo".

Perguntaram para Confúcio: "Por que você não está no governo?" O Mestre disse: "No 'Tratado dos Livros', está escrito: 'pratique a fraternidade com a família e o altruísmo com as pessoas e você estará contribuindo para o governo'. Isso também é contribuir com a sociedade, não é preciso estar no governo".

Zizhang perguntou: "Podemos prever o futuro daqui a dez gerações?" O Mestre disse: "Yin adotou os costumes de Xia, e Zhou adotou os de Yin. Sabemos o que se perdeu e o que foi acrescido. Quem suceder Zhou fará o mesmo, já sabemos como será". [Xia, Shang (ou Yin) e Zhou são as três primeiras dinastias chinesas.]

O Mestre disse: "Se uma pessoa não é humanista, não deve tratar nem de costumes nem de música".

O Mestre disse: "Um educado não compete. Mas, se for para competir, ele escolhe a arqueria. Ele troca gentilezas e elogios antes e depois da competição, e continua sendo uma pessoa educada".

O Mestre disse: "Que sei da cultura de Xia? Não sobrou muito em Qi, seu herdeiro. Que sei da cultura de Yin? Não sobrou muito em Song, seu herdeiro. Sem evidências e estudiosos, fica difícil conhecer essas culturas". [Confúcio alerta para a dificuldade de saber sem se conhecer devidamente a História.]

O Mestre disse: "O sacrifício exige devoção. Ao fazer o sacrifício, é como se os deuses estivessem presentes. Se não for assim, não faça o sacrifício".

Wangsunjia perguntou: "'Homenageie o deus da cozinha mais do que o deus da casa', o que significa?" O Mestre disse: "Bobagem! Se você ofender o Céu, qualquer prece é inútil".

O Mestre visitou o templo do fundador dos Zhou. Ele perguntou sobre tudo. Alguém disse: "Esse aí que se diz especialista em cultura? Ele pergunta tudo!" O Mestre respondeu: "E como se aprende? Este é o modo correto".

O duque Ding perguntou a Confúcio como deve ser a relação entre o soberano e o ministro. O Mestre disse: “O soberano deve ser cortês com o ministro, e o ministro deve ser leal com o soberano”.

O Mestre disse: “É belo viver em sociedade. Morar num lugar sem gente não faz muito sentido”. [Não é possível ser humanista sem estar com as pessoas.]

O Mestre disse: “Uma pessoa sem humanidade não resiste à adversidade nem vive muitas alegrias. Uma pessoa boa se apoia na humanidade e se beneficia dela”.

O Mestre disse: “Somente alguém educado pode amar e odiar pessoas”.

先聖孔子像

O Mestre disse: "O humanista não fraqueja diante do mal".

O Mestre disse: "Riqueza e posição todo mundo quer, mas, se o caminho for errado, desista. Pobreza e esquecimento todo mundo detesta, mas, se o caminho for correto, continue. O educado nunca abandona o humanismo, mesmo que o desprezem. Mesmo nas provações e problemas, ele continua com o humanismo".

O Mestre disse: "Pelos defeitos de alguém que se conhecem suas qualidades".

O Mestre disse: "De manhã escuta o caminho, à noite morre sossegado".

O Mestre disse: "Um educado coloca todo seu coração no caminho. Se ele se envergonha das roupas ou da comida, ele não é sério".

O Mestre disse: "Nas coisas do mundo, o educado não tem lado senão o da justiça".

O Mestre disse: "O educado busca virtude, o ignorante busca terra. O educado busca justiça, o ignorante busca vantagem".

O Mestre disse: "Quem só pensa em si desperta ressentimento alheio".

O Mestre disse: "Não receie ser desconhecido, receie ser incompetente".

O Mestre disse: "Quando vir alguém de valor, inspire-se nele. Quando vir um incompetente, pense em si mesmo".

O Mestre disse: "Veja a idade dos seus pais. Agradeça por eles estarem vivos, mas se preocupe ao mesmo tempo".

O Mestre disse: "Os antigos não gostavam de falar, com receio de não fazer valer as suas palavras".

O Mestre disse: "Controle a si mesmo e não errará o caminho".

O Mestre disse: "O educado fala com cuidado e age prontamente".

O Mestre disse: "A virtude não é só, sempre tem amigos".

Zaiyu estava dormindo de dia. O Mestre disse: "Não se pode talhar madeira podre nem fazer parede com esterco. Do que adianta brigar com ele? Antes eu ouvia o que as pessoas me diziam; agora eu vejo o que elas fazem. Zaiyu me ensinou isso". [Não adianta ensinar quem não quer aprender.]

Zigong disse: "Eu sei o que o Mestre pensa sobre cultura, mas nem imagino o que ele pensa sobre o caminho ou o Céu".

O senhor Jiwen dizia pensar três vezes antes de agir. O Mestre soube e disse: "Duas vezes já bastam". [Muita discussão, pouco conhecimento.]

O Mestre estava em Chen. Ele disse: "Vamos voltar para a casa. A juventude está cheia de vontade e talento, mas está sendo desperdiçada". [O estado de Chen abandonara a juventude ao ócio, ao hedonismo desenfreado e à violência.]

Yanhui e Zilu estavam com o Mestre. Este lhes perguntou: "Quais são seus desejos secretos?"

Zilu disse: "Dividir meus cavalos e roupas com meus amigos e não me preocupar".

Yanhui disse: "Ser modesto e humilde com o que desenvolver de mim mesmo".

Zilu disse: "E você, Mestre, o que deseja?"

O Mestre disse: "Que os velhos tenham paz, os amigos tenham lealdade e os jovens tenham amor".

O Mestre disse: "Vejo poucos que reconhecem seus erros, e assim incomodem o próprio coração".

Gongxi Chi foi enviado em missão para Qi. Ran-qiu requisitou grãos para a mãe de Gong. O Mestre disse: "Dê um pote cheio (20 litros)". Ran-qiu pediu mais. O Mestre disse: "Dê um saco (50 litros)". Ran-qiu pediu cem vezes mais. O Mestre disse: "Gongxi foi pra Qi com bons cavalos e peles finas. O que eu sei é que devemos ajudar quem precisa, não os ricos".

Yuan Xian conseguiu um cargo graças a Confúcio, e lhe ofereceram 900 sacos de grão. Ele recusou. O Mestre disse: "Não faça isso, dê ao pessoal das redondezas".

O Mestre disse: "Yanhui era um exemplo.
Ficava três meses pensando no bem.
Outros só o fazem de vez em quando".
[Yanhui era o discípulo preferido
de Confúcio.]

O Mestre disse: "Yanhui era admirável.
Um punhado de arroz para comer, um
gole de água para beber, um barraco para
se abrigar; poucos aguentam esta miséria,
mas ele estava sempre feliz. Que pessoa
admirável era Yanhui!"

Ran-qiu disse: "O Caminho do Mestre é
bom, mas não tenho força para o seguir".
O Mestre disse: "Só quem começa o
Caminho descobre onde parar. Mas você
desiste antes de começar".

O Mestre disse a Zixia: "Seja um homem culto e nobre, não um pedante vulgar".

O Mestre disse: "Quem sai de casa sem usar a porta? Por que as pessoas insistem em não andar no Caminho?"

O Mestre disse: "Selvagem é aquele em que a natureza fala mais alto que a cultura; pedante é aquele em que a cultura fala mais alto que a natureza. O educado é aquele que equilibra as duas".

O Mestre disse: "Pode-se explicar coisas grandes para quem quer ser grande, mas não para pessoas pequenas".

Fanchi perguntou o que é sabedoria.
O Mestre disse: "Cuide do povo, respeite os deuses e espíritos, mas sem se envolver com eles. Isso é sabedoria".
Fanchi perguntou o que é bondade.
O Mestre disse: "Tente ser bom. Isso é bondade".

O Mestre disse: "O educado estuda para saber e se cultiva pelos costumes. Por isso, erra pouco".

O Mestre disse: "A justa medida é o Caminho, mas o povo não se preocupa com isso faz tempo!". [Justa Medida ou Caminho do Meio: o caminho da harmonia entre as tensões, da harmonia natural.]

O Mestre disse: "Eu repasso, não invento. Confio no passado e o amo".

O Mestre disse: "Guardo comigo discretamente o conhecimento, tenho fome de coisas novas e ensino os outros sem me cansar — isso é o que eu sou".

O Mestre disse: "Falhar no autocontrole, fracassar no uso do que aprendi, não conseguir defender o correto, não poder consertar o que está errado — estas são minhas angústias".

Em casa, o Mestre era sossegado e alegre. [Algumas citações servem para mostrar que Confúcio era absolutamente humano, uma pessoa caseira, receptiva e bem-humorada.]

O Mestre disse: "Estou mesmo ficando muito velho. Nunca mais sonhei com o duque Zhou". [Confúcio pressente a morte chegar e não sonha mais com o duque Zhou, um dos fundadores da dinastia Zhou e modelo de conduta moral.]

O Mestre disse: "Ponha seu coração no caminho, confie na cultura, pratique a bondade, aprecie as artes".

O Mestre disse: "Nunca me neguei a ensinar quem quer que fosse, mesmo que fosse o mais pobre com apenas um pedaço de carne na mão". [Era costume oferecer presentes aos professores, e não raro, pagar pelos estudos. Confúcio, porém, ensinava gratuitamente a quem quisesse aprender, transformando a questão em mera formalidade.]

O Mestre disse: "Esclareço os empolgados, oriento os dedicados. Mas, se eu aponto um lado da questão e o estudante não percebe as outras três, não repito".

Depois de chorar, o Mestre nunca cantava.

O Mestre disse: "Yanhui, só você e eu sabemos aparecer quando necessário e sumir quando não precisam mais de nós".

Zilu perguntou: "Se o Mestre tivesse o exército, quem colocaria como seu comandante?" O Mestre disse: "Com certeza não escolheria alguém que lute com tigres ou atravesse um rio a nado. Escolheria alguém que fique preocupado com a guerra e prefira vencê-la pela estratégia".

O Mestre disse: "Se querer ser rico fosse decente, até eu buscaria enriquecer, mesmo que eu fosse um porteiro. Mas, como as coisas estão, prefiro ser professor".

O Mestre sempre tomava cuidado quando falava de jejum, guerra e doença. [Assuntos complexos: meditação, violência e saúde.]

O Mestre disse: "Mesmo com pouca comida, um gole d'água e apenas o braço como travesseiro, eu posso ser feliz. Riqueza e honra sem justiça são nuvens passageiras".

O Mestre disse: "Quero apenas mais alguns anos para continuar estudando as 'Mutações'.[1] Se chegar aos cinquenta, errarei menos".

1 *Yijing*, "Tratado das Mutações".

O Mestre disse: “Não tenho um conhecimento inato. Simplesmente amo o passado e adoro investigá-lo”.

O Mestre procurava não falar de milagres, violência, desordens espirituais ou fantasmas.

O Mestre disse: “Ponha-me junto com duas pessoas escolhidas ao acaso e, com certeza, vou poder aprender algo com elas. Vou imitar suas qualidades e vou me precaver de não ter os mesmos defeitos”.

O Mestre disse aos discípulos: “Meus queridos, vocês acham que escondo algo de vocês? Isto não é para mim, divido tudo com vocês”.

O Mestre ensinava quatro coisas: letras, vida, lealdade e sinceridade. [Confúcio ensinava cultura e valores morais.]

O Mestre disse: "Queria encontrar um sábio, mas me satisfaço se encontrar um educado". [O educado é o cidadão ideal; o sábio é aquele que ultrapassa o comum.]

Quando o nada passa a ser algo, o vazio passa por tudo e a miséria passa por prosperidade, é difícil ter princípios.

O Mestre disse: "Pode ser que existam pessoas que consigam algo sem saber nada, mas não sou uma delas. Ouvir muito, selecionar o melhor, testemunhar e registrar, esse ainda é o melhor meio de estudar sem nascer sabendo". [Confúcio duvida daqueles que se passam por sabichões, pretensos conhecedores ou falsos humildes.]

O Mestre disse: "Não encontra a bondade? Procure-a e achará".

O Mestre gostava de cantar acompanhado e de acompanhar as cantorias. [Mesmo sábio, ele não era elitista.]

O Mestre disse: "Não sou sábio nem perfeito; mas como eu deixaria de buscar isso? Nunca me canso de ensinar essas coisas". Gongxi respondeu: "É justamente isso que não conseguimos aprender". [O Caminho, antes de tudo, é a busca pelo aprendizado.]

O Mestre estava doente. Zilu queria rezar por ele. O Mestre disse: "E como é isso?" Zilu disse: "Invocamos os espíritos de cima e de baixo". O Mestre disse: "Já faço isso há muito tempo, não vai dar certo".

O Mestre disse: "Riqueza gera arrogância; comedimento leva à humildade. Melhor ser humilde do que arrogante".

O Mestre disse: "Um educado é sossegado e livre; o ignorante é sempre tenso e conspirador".

O Mestre era doce, apesar de sério; tinha autoridade, mas não era mandão; era digno, mas recebia a todos.

O Mestre disse: "Uma pessoa pode ter os talentos do duque Zhou, mas, se for arrogante e egoísta, eles não lhe valem de nada". [Duque Zhou, um dos fundadores da dinastia, é modelo de exemplo e virtude.]

O Mestre disse: “É difícil estudar três anos sem pensar no que se vai fazer depois disso”. [Não é errado estudar com um fim, mas se deve dar valor ao estudo em si.]

O Mestre disse: “Seja fiel, leal, estudioso, ande no Caminho. Não vá aonde há desordem; não more onde há tumulto. Apareça quando o Caminho vier para ficar; oculte-se quando o Caminho for perdido. Num país que segue o Caminho, é vergonha ser vagabundo e medíocre; mas, num país que o perde, a vergonha é ser rico e honrado”.

O Mestre disse: “Não discuta algo que não seja de sua alçada”.

孔子行教像

O Mestre disse: "Impetuoso, falso, ignorante, imprudente, ingênuo e volúvel; desse tipo de pessoa me escapa a compreensão".

O Mestre disse: "Aprender é perseguir um objetivo; se não o alcança, receie esquecer o que já sabe".

O Mestre disse: "Veja Shun e Yao, como eram incríveis. Tinham o mundo em suas mãos, mas não se apegavam a isso". [Shun e Yao: os primeiros soberanos míticos da China.]

O Mestre disse: "Não vejo defeito em Yu. Tinha tudo, mas só comia o necessário e suas roupas eram pobres. Só fazia oferendas magníficas e usava roupas belas nos rituais para os espíritos. Morava bem e, no entanto, passou grande parte do tempo de sua vida cuidando das enchentes. Não vejo defeito em Yu". [Yu: uma espécie de Noé chinês que combateu as inundações do mundo chinês, construindo diques, canais e barragens.]

O Mestre raramente falava de oportunismo, destino ou humanismo. [O que é dispensável, misterioso ou profundo deve ser abordado com cuidado.]

O Mestre evitava quatro coisas: extravagância, dogmatismo, teimosia e presunção.

Lao disse: "O Mestre dizia que seu fracasso na vida pública o ensinou a se virar".

O Mestre disse: “Eu sei? Não. Uma vez, um camponês me perguntou algo, e eu não sabia a resposta; mas estudei muito, até descobri-la”.

O Mestre pensou em ir morar com os bárbaros. Alguém disse: “Mas lá é horrível, como vai sobreviver?” O Mestre disse: “E como poderá ser horrível se alguém educado estiver por lá?”

O Mestre disse: “Veja o rio: tudo flui, sem cessar, dia e noite”.

O Mestre disse: “Nunca vi alguém que amasse tanto a virtude como o sexo”. [Sobre a dificuldade de controlar os desejos.]

O Mestre disse: “Existem brotos sem flores e flores sem frutos”. [Confúcio chama a atenção para a diferença entre aparência e conteúdo.]

O Mestre disse: “Olhem os jovens, eles são o futuro. Mas se eles não se preocuparem com isso, ficarão velhos e não serão nada”.

O Mestre disse: “Faça tudo com lealdade e dedicação; não se alie com os errados e inferiores e não tema se corrigir”.

O Mestre disse: “Um exército pode ficar sem comandante, mas as pessoas mais humildes não podem ser privadas do direito de escolha”.

Um poema dizia:
A cerejeira me chama,
com suas flores.
Você não sai
do meu pensamento.
Mas sua casa fica tão longe!

O Mestre disse: "Ele não ama. Quem ama se importa com distâncias?"

Não há limite para o vinho enquanto a mente estiver sob controle.

Agradeça ao Céu, sempre, antes de comer, por mais humilde que seja a comida.

Ji Kang enviou um remédio ao Mestre. O Mestre disse: "Agradeço, mas não conheço — assim, não vou provar".

Os estábulos queimaram. O Mestre largou a corte e perguntou: "Alguém se feriu?" Não quis saber dos cavalos. [Cavalos eram bens caros na época. O comentário mostra que Confúcio se preocupava com as pessoas humildes.]

Um amigo morreu e ninguém apareceu para cuidar do funeral. O Mestre disse: "Eu cuidarei".

O Mestre era sempre carinhoso com quem estava de luto; era respeitoso com os mais velhos, com os cegos e mesmo com as pessoas mais humildes. Na carruagem, cumprimentava todos, não importava sua condição. Diante de uma comida especial, agradecia de pé o apreço. Diante de um trovão inesperado ou de uma chuva forte, se preocupava.

O Mestre disse: "Antes de assumir um cargo, o pobre tem que estudar os costumes e a música, enquanto os ricos deixam isso para depois. Por isso que, se eu puder escolher, fico com os pobres".

Yanhui morreu, e o mestre chorava desesperado. Os discípulos disseram: "Chorar assim não é apropriado!" O Mestre disse: "Se não for por ele, por quem devo chorar assim?"

Zilu perguntou: "Como se serve aos deuses e espíritos?" O Mestre disse: "Aprenda a servir às pessoas, depois pense em servir aos deuses". Zilu perguntou sobre a morte. O Mestre disse: "Aprenda antes a viver, depois aprenda sobre a morte". [Ou: aprenda sobre a vida e você compreenderá a morte.]

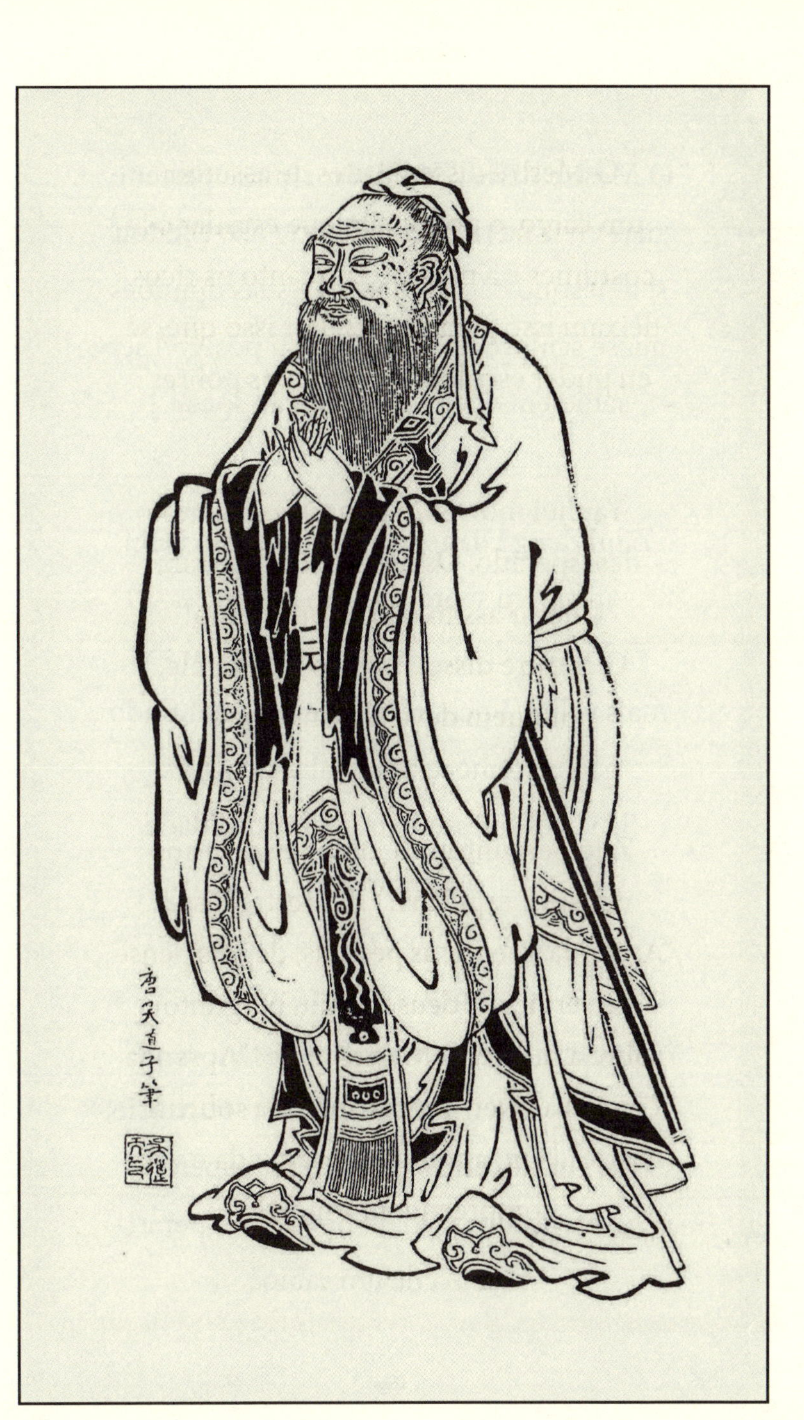
唐吳道子筆

O Mestre disse: "Yanhui foi quase perfeito, mas vivia na pobreza. Zigong não aceitou seu destino e foi trabalhar, e suas opiniões quase sempre estão certas". [É possível ser sábio em qualquer condição social.]

Zilu, Zeng Dian, Ran Qiu e Gongxi Chi estavam sentados com o Mestre.
O Mestre disse: "Esqueçam que eu sou mais velho. Vocês reclamam que o mundo não reconhece o trabalho de vocês.
Se vocês tivessem uma oportunidade, o que fariam?"
Zilu disse: "Dê-me um país pequeno, cercado de inimigos e com fome, que eu o educarei, e em três anos ele estará de pé".
Ran Qiu disse: "Dê-me um bom território, e, em três anos, eu o farei próspero.
Quanto à educação do povo, eu esperaria a vinda de um sábio".

Gongxi disse: "Eu gostaria de aprender as cerimônias do Templo Ancestral, gostaria de aprender diplomacia e ser um grande intermediador".

O Mestre disse: "E você, Zeng Dian?"

Zeng, que estava tocando cítara, parou e disse: "Receio que meus desejos não estejam à altura dos meus amigos".

O Mestre disse: "Diga, não tenha receio. Estamos todos sendo francos".

Zeng respondeu: "Bem, eu gostaria de, no final da primavera, juntar meia dúzia de amigos e meia dúzia de meninas e ir tomar banho no rio Yi. Depois, desfrutar do vento no Terraço da Dança da Chuva e voltar para casa cantando".

O Mestre sorriu e disse: "Estou com Zeng Dian!"

Os outros saíram. Zeng perguntou: "Mestre, e o que achou dos desejos dos outros?"

O Mestre disse: "Zilu foi arrogante, mas um país se governa pela educação mesmo; Ran Qiu foi interesseiro, quer coisas grandes já de início; Gongxi quer ser destacado, embora se faça humilde. Afinal, numa conferência no Templo Ancestral, quem quer ser um mero intermediador se já está lá?"

Yanhui perguntou sobre o humanismo. O Mestre disse: "O humanismo se resume em cultivar a si mesmo e cultivar a cultura. Faça isso por apenas um dia e todos vão seguir o humanismo. A prática do humanismo tem origem em si mesmo, e não nos outros".

Yanhui disse: "Posso perguntar como se faz isso?" O Mestre disse: "Cuide da cultura da seguinte maneira: não olhe, não escute, não diga e não faça o que for inapropriado".

Yanhui disse: "Não sou muito inteligente, mas vou tentar fazer o que o Mestre me recomendou".

Ranyong perguntou sobre o humanismo. O Mestre disse: "Fora de casa, aja como se todos fossem convidados importantes. Cuide do povo como se fosse um evento importante. Não imponha a ninguém o que não gosta para si mesmo. Não deixe o ressentimento pessoal se intrometer nas coisas públicas ou nos assuntos particulares". Ranyong disse: "Não sou muito inteligente, mas tentarei fazer o que o mestre recomendou".

Simaniu perguntou sobre o humanismo. O Mestre disse: "Humanistas não falam muito". Simaniu respondeu: "Humanistas relutam em falar? Isso é humanismo?"

O Mestre disse: "O humanismo é profundo e difícil. Como falar disso de modo leviano?"

Simaniu perguntou o que é um educado. O Mestre disse: "O educado não fica triste nem assustado". Simaniu disse: "Nem triste nem assustado. Isso torna alguém educado?" O Mestre disse: "Ele tem a consciência livre; por que deveria ter tristeza ou medo?"

Simaniu estava triste, dizendo: "Todos têm irmãos, menos eu". Zixia disse: "Vida e morte são naturais, riqueza e posição são dadas pelo Céu. Se alguém for educado e se comportar de forma apropriada, tratando as pessoas com cortesia e modos, todas as pessoas entre os quatro mares serão seus irmãos. Como poderia uma pessoa educada se queixar de não ter irmãos?"

Zigong perguntou sobre o governo. O Mestre disse: "Fartura, segurança e confiança do povo". Zigong perguntou: "E se tirarmos uma?" O Mestre disse: "Tire a segurança". Zigong perguntou: "E se tirarmos duas?" O Mestre disse: "Fartura. Todos morrem um dia. Se um governo tem a confiança do povo, ele pode tudo. Mas, sem essa confiança, ele não se mantém mesmo com segurança ou fartura".

Zizhang perguntou sobre como praticar a moral e não ser incoerente. O Mestre disse: "Seja leal e devotado, siga a justiça. Isso é praticar a moral. Ame quem ama e odeie quem odeia. Queira vivo o amável e morto o odioso. Agora, se alguém deseja a vida e a morte de uma pessoa ao mesmo tempo, isso é incoerência".

Zizhang perguntou quando é que se alcança uma percepção superior. O Mestre disse: "O que você entende por percepção superior?" Zizhang disse: "Ser reconhecido na vida pública e privada". O Mestre disse: "Isso é reconhecimento, não percepção. Percepção superior é ser apropriado, amar o correto, estudar as pessoas e estar atento à conduta com os outros. Para se ter reconhecimento, basta se passar por virtuoso, mesmo que não seja. Finja-se de seguro e, com certeza, você terá o reconhecimento público e privado".

Fanchi perguntou sobre o humanismo. O Mestre disse: "Ame a todos, sem distinção".

Zigong perguntou como tratar os amigos. O Mestre disse: "Dê conselhos sinceros, aja com lealdade. Se isso não der certo, pare e não se indisponha".

Mestre Zeng disse: “Uma pessoa educada reúne amigos por meio de sua cultura e, com eles, desenvolve o humanismo”.

Zilu perguntou: “Se o governante de Wei o chamasse para comandar o país, o que o Mestre faria primeiro?” O Mestre disse: “Iria retificar os nomes”. Zilu disse: “Sério? Essa prática não é secundária? Para que serve?” O Mestre disse: “Zilu, você é um ignorante mesmo. Uma pessoa educada fica quieta quando não sabe do assunto. Quando os nomes não são corretos, a linguagem fica confusa. Com a linguagem confusa, ninguém se entende e nada se resolve. Quando nada se resolve, a cultura e a música param. Quando não há nem cultura nem música, as punições e penalidades erram o alvo e acertam os corretos. Com isso, as pessoas ficam

perdidas. Por isso, uma pessoa educada tem que ser capaz de fazer o que fala e falar o que pode fazer. Uma pessoa educada não fala bobagens nem deixa as coisas soltas".

O Mestre disse: "Se um governante me empregasse, em três anos eu faria as coisas funcionarem, e todos veriam os resultados".

O Mestre disse: "Mesmo com um verdadeiro governante, vai se passar uma geração até que o humanismo prevaleça".

O Mestre disse: "Uma pessoa que consegue cuidar de sua vida de maneira apropriada lidará com o governo da mesma forma. Mas, se sua vida for inapropriada, seu governo também o será".

Fanchi perguntou sobre o humanismo. O Mestre disse: "Seja amável na vida privada, cortês na vida pública e leal com os amigos. Mesmo entre os bárbaros, faça isso".

O Mestre disse: "Se eu não encontrasse amigos com a justa medida, viraria companheiro dos loucos e dos puros. Os loucos ousam fazer de tudo, e os puros nunca vão fazer certas coisas".

O Mestre disse: "No sul, as pessoas têm um ditado: quem não é constante, não pode ser um xamã. Isso é verdade. No 'Tratado das Mutações' se diz: 'Quem não persevera na moral se expõe à desgraça'". E o Mestre completou: "Não é preciso, pois, fazer qualquer previsão para esse aí". [Confúcio afirma

que, para quem se aventura no erro, a desgraça é certa e que qualquer consulta ao oráculo é desnecessária.]

O Mestre disse: "Um educado busca harmonia, e não conformação. Uma pessoa vulgar se conforma com a desarmonia".

Zigong perguntou: "O que se pensa de alguém que todos gostam?" O Mestre disse: "Isso não é suficiente". Zigong perguntou: "E se todos não gostassem?" O Mestre disse: "Isso também não basta. O ideal é que as pessoas boas gostem dele e que as más não gostem".

O Mestre disse: "Firmeza, devoção, simplicidade e silêncio — isso nos aproxima do humanismo".

O Mestre disse: "Mandar para guerra um povo sem treino é um desperdício cruel".

O Mestre disse: "Um educado que se preocupa com conforto material não é um educado de fato".

O Mestre disse: "Quando um Estado está no Caminho, fale e aja sem receio. Quando um Estado não está no Caminho, aja sem receio, mas fale com cuidado".

O Mestre disse: "Uma pessoa de virtude dá bons conselhos. Uma pessoa que dá bons conselhos não necessariamente tem virtude. A diferença é a ocasião e o tipo do conselho. Uma pessoa boa sempre tem coragem, mas nem sempre o corajoso é bom. A diferença é a ocasião e o tipo de atitude".

O Mestre disse: "Ser pobre sem ressentimento é difícil; ser rico sem arrogância é fácil".

Zilu perguntou como servir ao governante. O Mestre disse: "Diga sempre a verdade, mesmo que ela ofenda".

O Mestre disse: "Antigamente, as pessoas estudavam para crescer. Hoje, elas estudam para se mostrar".

O Mestre disse: "Um educado se envergonha de não cumprir o que disse".

O Mestre disse: "Perspicácia é perceber de imediato um logro ou um plano equivocado, ainda que não se entenda disso".

O Mestre disse: "Retribua o bem com o bem e o mal com justiça".

O Mestre disse: "Ninguém me entende!" Zigong perguntou por quê. O Mestre disse: "Não acuso nem o Céu nem as pessoas. Aqui embaixo aprendo, e lá em cima me ouvem. Se sou compreendido, deve ser lá em cima".

Em Chen, Confúcio ficou sem comida. Seus discípulos estavam fracos e mal ficavam em pé. Zilu foi ao Mestre e disse, indignado: "Educados também ficam na miséria?" O Mestre disse: "Sim, educados podem ficar na miséria. Só pessoas vulgares se preocupam com isso". [O que torna alguém digno é passar, com dignidade, por situações indignas.]

O Mestre disse: "Ao lidar com uma pessoa capaz, ensine-o. Se não o ensinar, isso é um desperdício humano. Ao lidar com uma pessoa incapaz, não o ensine. Isso é desperdício de saber. Um sábio não desperdiça nem pessoas nem saber". [O sábio não desperdiça nem pessoas nem palavras.]

O Mestre disse: "Exija muito de si e pouco dos outros, e isso lhe trará sossego".

O Mestre disse: "Com aqueles que ficam o tempo todo dizendo 'Eu não sei! Eu não posso!', realmente, não sei o que posso fazer".

O Mestre disse: "Não suporto gente que fica o dia todo discutindo sem chegar a lugar algum ou sem ter uma boa ideia".

O Mestre disse: "Um educado se preocupa em deixar sua marca no mundo antes de desaparecer".

O Mestre disse: "Um educado exige de si; o ignorante, dos outros".

Zigong perguntou: "Existe uma única palavra que possa guiar nossa vida?"
O Mestre disse: "Reciprocidade.[2]
Não faça aos outros o que não quer para você".

O Mestre disse: "Quando todos antipatizam com alguém, devemos investigar. Quando todos simpatizam, também".

2 恕 *Shu*: palavra que pode ser traduzida e empregada como reciprocidade, cortesia ou tolerância.

O Mestre disse: "O ser humano faz o Caminho, não é o Caminho que faz o ser humano".

O Mestre disse: "Um erro não corrigido continua sendo erro".

O Mestre disse: "Uma vez tentei meditar. Passei um dia sem comer e uma noite sem dormir. Foi inútil. É melhor estudar".

O Mestre disse: "Um educado procura o Caminho, não um meio de sobrevivência. Plante para comer e mesmo assim você terá fome. Aprenda e com certeza você terá um emprego. Mas o educado se preocupa em encontrar o Caminho e não se vai continuar pobre".

O Mestre disse: “Pode-se alcançar o poder pelo conhecimento, mas ele se mantém pela bondade. Sem bondade, o poder se perde. Poder com conhecimento e bondade é bom, mas se perderá se não for digno com o povo. Poder que se alcança com conhecimento, que se mantém pela bondade e que se exerce com dignidade é bom, mas ainda não é o suficiente se não houver cultura”.

O Mestre disse: “O saber de um educado não é percebido em pequenas coisas, mas ele pode fazer grandes coisas. O ignorante não realiza nada de grande, suas habilidades são notadas nas coisas pequenas”.

O Mestre disse: “Ao buscar a virtude, não tema superar seu mestre”.

O Mestre disse: "Um educado tem princípios, mas não é inflexível". [Ele sabe se adaptar ao contexto sem perder sua identidade.]

O Mestre disse: "Ensino a todos, sem distinção".

O Mestre disse: "É inútil discutir com quem segue outro caminho". [Não adianta discutir sem princípios comuns.]

O Mestre disse: "Três tipos de amigos são bons, três tipos são ruins. Amigos corretos, leais e estudiosos são bons. Amigos corruptos, aduladores e falastrões são ruins".

O Mestre disse: "Três tipos de prazeres são bons, três tipos são ruins. Estudar cultura e música, agradar aos outros e fazer amigos, isso é bom. Ser perdulário, ocioso e um bêbado encrenqueiro, isso não é bom".

O Mestre disse: "Existem três erros quando se serve alguém superior. Falar sem ser perguntado é precipitado; não responder à pergunta é dissimulação; falar sem olhar no rosto, isso é falsidade".

O Mestre disse: "Um educado atenta contra três perigos: quando jovem, cheio de sangue nas veias, não exagerar no sexo; quando adulto, no auge físico, se controlar na raiva; e na velhice, quando o sangue se esvai, não ficar se apegando ao egoísmo materialista".

O Mestre disse: "Um educado teme três coisas: a vontade do Céu, as grandes personalidades e os santos. Um ignorante desdenha do Céu, pois não o entende, zomba de quem é grande e avacalha com o saber dos santos".

O Mestre disse: "Os mais elevados são os que nascem com habilidades naturais. Depois, vêm aqueles que aprendem pelo estudo. Depois, aqueles que aprendem pelas provações da vida. No nível mais baixo, está quem passa por tudo isso e não aprende nada".

O Mestre disse: "Um educado age de acordo com nove modos:
Olha para enxergar nitidamente.
Escuta para ouvir claramente.
Sorri para ser amigável.

Age de modo apropriado.
Fala de modo leal.
Serve com respeito.
Quando não sabe, pergunta.
Quando irado, pondera antes de agir.
Só aceita ganhar o que é justo".

O Mestre disse: "O que a natureza junta, o hábito separa".

O Mestre disse: "Só os mais sábios e os mais estúpidos nunca mudam".

Zizhang perguntou sobre o humanismo. O Mestre disse: "O humanismo pode ser implantado pelas cinco práticas". Zizhang perguntou quais são. O Mestre disse: "Cortesia, tolerância, lealdade, atenção e generosidade. A cortesia afasta

o insulto; a tolerância conquista os corações; a lealdade atrai a confiança dos outros; a atenção alcança o sucesso; e a generosidade promove a autoridade".

O Mestre disse: "Zilu, já ouviu falar das seis qualidades e dos seis vícios?
Sente-se, vou lhe dizer:
Amar o humanismo sem amar o estudo gera estupidez.
Amar o conhecimento sem amar o estudo gera superficialidade.
Amar a educação sem amar o estudo gera ganância.
Amar a sinceridade sem amar o estudo gera grosseria.
Amar a coragem sem amar o estudo gera violência.
Amar o poder sem amar o estudo gera a desordem".

O Mestre disse: "Alguns falam de cultura como se fosse apenas oferenda de seda e jade. Alguns falam de música como se fosse apenas diversão de sinos e tambores". [Confúcio atenta para aqueles que não compreendem a importância da cultura e das artes, vendo-as apenas como um meio material.]

O Mestre disse: "O virtuoso profissional é uma desgraça para a virtude".

O Mestre disse: "Mentirosos não são virtuosos".

O Mestre disse: "Não vou mais falar". Zigong disse: "Mestre, se você não falar, como vamos aprender?" O Mestre disse: "O céu fala? E mesmo assim as quatro estações se reproduzem e as criaturas continuam a nascer. O céu fala?"

Rubei queria ver Confúcio.
Confúcio declinou, dizendo que estava doente. Quando o mensageiro de Rubei saiu, o Mestre pegou sua cítara e começou a cantar bem alto para ele ouvir.
[Aqui, Confúcio se recusa a encontrar com um corrupto notório, fazendo questão de demonstrar o seu desagrado com a inconveniência do convite.]

Zigong disse: "Um educado odeia?"
O Mestre disse: "Claro. Ele odeia os moralistas, que ficam cobrando os erros dos outros. Ele odeia os intrigueiros, que difamam seus superiores. Ele odeia os valentes abusados, sem modos. Ele odeia os impulsivos e os teimosos".
Zigong perguntou: "E o Mestre tem seus ódios?"
O Mestre disse: "Odeio os farsantes, que se fingem de sábios. Odeio os arrogantes,

que se passam por valentes. Odeio os fofoqueiros, que se fingem de sinceros".

Changju e Jieni estavam arando. Confúcio passou perto dali e pediu a Zilu que lhes perguntasse onde ficava o rio. Changju disse: "Aquele ali na carroça é o tal Confúcio de Lu? Então, ele já sabe onde é o rio". Jieni disse: "Zilu, o mundo é um rio só que caminha na mesma direção. Para que nadar contra a corrente? Ao invés de seguir um mestre que vai de país em país atrás de um emprego, siga um mestre que se desprendeu do mundo". E continuaram arando.
Zilu contou a Confúcio o que ouviu. O Mestre ponderou profundamente e disse: "Não se é humano sendo amigo de pássaros e bichos no meio do mato.
Só se é humano junto a outros humanos.
Se tudo estivesse correto e o caminho fosse seguido, eu não precisaria ter que consertá-lo".

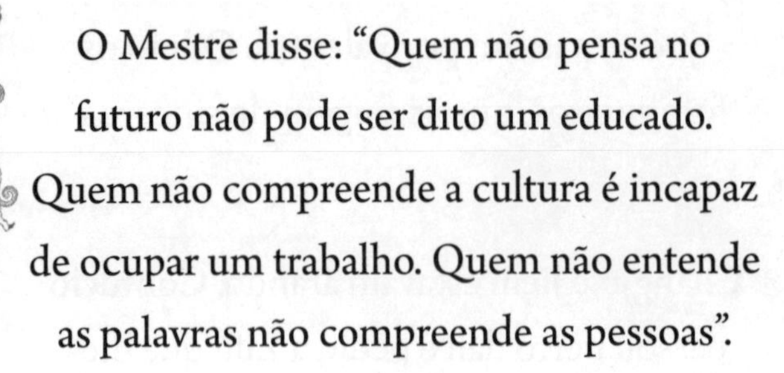

O Mestre disse: "Quem não pensa no futuro não pode ser dito um educado. Quem não compreende a cultura é incapaz de ocupar um trabalho. Quem não entende as palavras não compreende as pessoas".

Leia também

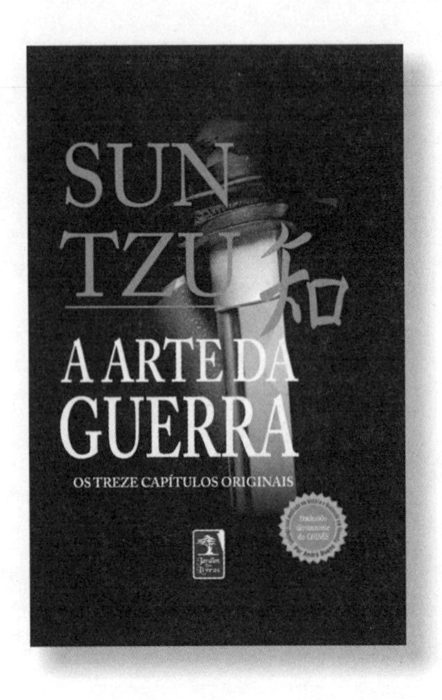

Este é o maior tratado de guerra de todos os tempos, em versão completa e traduzida diretamente do chinês pelo sinólogo André Bueno, mestre em História e doutor em Filosofia. Bíblia da estratégia, a *Arte da Guerra* é utilizada amplamente no mundo dos negócios, conquistando pessoas e mercados, além de aplicada para lidar com conflitos atuais do dia a dia.

Leia também

Obra-prima que inaugurou a ciência política, este clássico da filosofia moderna chega numa nova edição que contém não só os comentários de Napoleão I, mas também os da rainha Cristina da Suécia, mulher à frente do seu tempo, protetora das artes e amiga de pensadores como Descartes. *O príncipe* é o livro de cabeceira dos maiores líderes do planeta.

INFORMAÇÕES SOBRE A

Geração Editorial

Para saber mais sobre os títulos e autores
da **Geração Editorial**,
visite o *site* www.geracaoeditorial.com.br
e curta as nossas redes sociais.

Além de informações sobre os próximos lançamentos,
você terá acesso a conteúdos exclusivos
e poderá participar de promoções e sorteios.

geracaoeditorial.com.br

/geracaoeditorial

@geracaobooks

@geracaoeditorial

Se quiser receber informações por *e-mail*,
basta se cadastrar diretamente no nosso *site*
ou enviar uma mensagem para
E-mail: geracaoeditorial@geracaoeditorial.com.br